JN112922

スタディサプリ

三賢人の学問探究ノート

今を生きる学問の最前線読本

生活を究める

渡邊恵太 先生

インタラクションデザイン研究

トミヤマユキコ 先生

日本近現代文学・少女マンガ

高橋龍三郎 先生

考古学

スタディサプリ 進路・編

ポプラ社

私たちは、もう少しだけ
自分の好きなように世界を見てもいい

スタディサプリ 進路

この本には、自分ならではの問いを発見し、突き詰めることで
独自の道を築いてきた、賢人たちの物語が描かれています。
ただ、この本は、偉大な賢人の功績を知るためのものではありません。
ここにあるのは、あなたが、自分の世界を、自分の好きなように見て、
発見するためのヒントです。

賢人たちの物語は、
小さな「ふしぎ」や「おもしろい」に立ち止まることから始まります。
そのどれもが、難しい知識などなくても見つかりそうなのに、
この本を読むまで、あなたが気づかずにいたものばかりかもしれません。

私たちは、大人になればなるほど、
目の前の「ふしぎ」や「おもしろい」を素通りすることが増えていきます。
それはきっと、知識にもとづく思いこみや、誰かが決めた意味・評価が、
気づかないうちに私たちの見方を縛るからです。

大人になっても「ふしぎ」や「おもしろい」に立ち止まることのできた人――
賢人たちの物語からは、私たちを、
無意識に縛るものから解放する言葉が、きっと見つけられるはず。

あなたが今、選べないものはなんだろう？
まわりに合わせて無理をしていることはないだろうか？
あなたが「こんな世界になったらわくわくするな」と思うのは、どんな世界？

あなたが、あなたの見方を縛るものから解放されて、
目の前の景色を眺めたとき、一体どんなことに気づくでしょうか。
その気づきの先で、「あなただけの問いから始まる物語」が待っています。

2 ドン底で見た、マンガの中のリアル

トミヤマユキコ先生
日本近現代文学・少女マンガ

3 「天才も解けない謎」を解くために

高橋龍三郎先生
考古学

1 選択から逃げた先で見つけた学問

渡邊恵太先生

1981年東京都生まれ。慶應義塾大学環境情報学部卒業。慶應義塾大学大学院政策・メディア研究科博士課程単位取得退学。東京藝術大学非常勤講師などを経て、現在は明治大学総合数理学部先端メディアサイエンス学科准教授を務める。専門はインタラクションデザイン研究。

あなたの生活には、見えないコンピュータが潜んでいる

この本を読んでいるあなたの身のまわりには、一体いくつのコンピュータがあるでしょうか。――こんなことを聞かれれば、ほとんどの人が、パソコン、スマートフォンやタブレットなどを数えるはずです。

コンピュータとは、複雑な計算や大量の情報をすばやく処理できる機械のことです。その使われ方は、何もパソコンやスマートフォンに限りません。ゲームやお掃除ロボット、スマートスピーカーもコンピュータのひとつといえます。今、私たちの身のまわりでは、さまざまな形のコンピュータがたくさん活躍しています。時計や照明器具、冷蔵庫、洗濯機、文房具などに形を変えて……。

なかには、あまりにもコンピュータが生活にうまくとけこんでいて、人が「今、

コンピュータを使っている」感覚すら抱いていない場合もあるでしょう。ひょっとしたら、あなたは気づかないうちにコンピュータを使っていて、あなたひとりではできないような力を発揮している、ということもありえるのです。

コンピュータが生活に浸透してきた今の時代に、未来のコンピュータのあり方を考えている人がいます。その人——渡邊恵太《わたなべけいた》先生は、新しいものをつくるのが好きで、思いついたアイデアに形を与えることに熱中し、少年時代を送ります。歳を重ねると、コンピュータなど最新技術への関心も抱くようになりました。

しかし、渡邊《わたなべ》先生は、コンピュータの技術や機械の設計を学んで、コンピュータをつくるという進路を歩みませんでした。人間の身体が持つ性質を起点にして、未来のコンピュータと人間との新しいかかわり方をつくろうとしています。一体なぜ、そんな道へと行き着いたのでしょう？

これは、少年の「ものや道具の形」と「人間のものの見方」に対する興味が、既存の教科や学問のわけ方の境界線を越えて混ざり合い、「未来のコンピュータのあり方」そのものをつくり始めるまでのお話です。

異なるふたつの興味を抱いた少年、わかれ道で立ち止まる

ぼんぼりの支柱とビー玉ゲームの「発明」

あれは私が幼稚園生の頃のことです。ひな祭りの行事にあわせて、幼稚園では子どもたちが、ひな人形をつくることになっていました。

ところが、先生から習ったとおりにつくっても、ひな人形と一緒に飾る「ぼんぼり」が倒れてきてしまいます。「ぼんぼりの頭の部分が重すぎるからだ」と思った私は、頭の部分を支える支柱のようなものを、折り紙でつくって、ぼんぼりに添えました。すると、ぼんぼりは倒れなくなったのです。

「すごいアイデアだね！」

そのとき、先生からたくさん褒《ほ》めてもらったことを、今でもはっきり覚えています。ひな人形そのものは、他の子のほうが、上手につくることができていたかもしれません。**でも私は、その瞬間、「ぼんぼりが倒れないためのアイデア」を、自分なりに工夫して、形にすることができたのです。**

幼い頃の私は、決して手先が器用で、細かい作業が得意というわけではありませんでした。それでも、「ものをつくること」が好きでした。レゴブロックや授業のノートづくり、マンガを描くことなど、自分で手を動かして、何かをつくり出すことに夢中になっていました。

小学3年生のとき、図工の授業でのことです。粘土や瓶を使って、ビー玉の転がるゲームをつくる、という課題が出ました。そこで私はふと、ひらめきました。「ビー玉の出発点に、人気ゲームのキャラクターをつくって、置いてみたらどうだろう？」。そのキャラクターの目玉にビー玉を使ってみると、キャラクターがよりリアルに見えるかもしれない。考え始めたら、どんどんアイデアがわいてきます。

こうして、ただのビー玉ゲームが、ゲームの世界観を帯びたオブジェのようになりまし

これが私の「ものづくり」

た。「僕が発明した、新しいビー玉ゲームが、一番いい!」。授業参観で、それぞれの作品が展示されたとき、私は誇らしい気持ちでいっぱいになりました。

ところが、私の作品を見つけた母は「他の子のほうが上手ね」と言ったのです。

実は、まっ先に私がビー玉ゲームをつくりあげた様子を見て、私のアイデアをまねて、キャラクターを模したビー玉ゲームをつくった子たちがいました。しかも、その子たちの作品のほうが、私の作品よりもよっぽど丁寧につくられていた。まるで私の作品が、みんなのまねをしてつくったでき損ないの作品に見えていたのです。

私は、母から指摘されるまで、そのことに気づいてもいませんでした。作品の緻密さ、作業の丁寧さ、できあがりの美しさには、関心を持っていなかったからです。**それよりも「新しいアイデアを誰よりも先に思いついて、形にした」ということに満足しきっていたのでしょう。**

こうした経験を通じて、私は次第に、自分がどうして「ものをつくること」が好きなのか、その理由に気づきました。

——私の好きな「ものをつくること」は、「まだ、みんなが見たことがない、新しいものをつくること」だ！

世の中にまだないものを、最初につくって、自分の目で見たい。誰よりも早く、新しいアイデアを考えて、そのアイデアに輪郭《りんかく》を与えたい——。それが、少年時代の私にとっての「ものをつくることが好き」という気持ちの正体でした。

その「赤」は、隣の人が見ている「赤」と同じか

もうひとつ、今の自分につながっていると思うできごとがあります。

幼い頃、絵を描いたり、ものをつくったりしていると、このように友人に言われること

がありました。

「なんで、そこを茶色で塗っているの？　そこは赤じゃない？」

というのも私には、わずかばかり人とは異なる色覚特性がありました。日常生活に支障が出るほどではありませんが、例えば、茶色と赤色、だいたい色と緑色の見わけがつきにくいといった特性を持っています。人間を描いているつもりが、肌の色が少し緑がかっていることに気づかず、他の人から「まるで宇宙人のようだ」と言われてしまったこともありました。

色覚特性を持つ人が、おしなべて同じように色の区別がつきにくいかというと、そういうわけではありません。私自身が認識しにくい色の組み合わせと、他の人が認識しにくい組み合わせが違う場合もあります。区別のしにくさの程度も、人それぞれ違います。

色覚特性を持っていると、飛行機や船の操縦などの仕事には就けないということも知りました。色を見誤ることで事故を起こすおそれがあるからです。ところが私は、そのことに失望することも、自分の色覚特性をハンディキャップのようにとらえることも、ありませんでした。

自分の色の見え方が、多くの人とは少しだけ違うことを知って、私の中に生まれた思い

――それは「自分には判別のできない色の違いが、友人には見えている」ということへの

本当に誰もが同じものを見ているのか

興味だったのです。みんながみんな、同じ色に見えているわけではないのだ。眼の中の、色を感じる細胞の働きが少し違うだけで、色の見え方が変わる。ひょっとしたら、色覚特性の有無にかかわらず、色の感じ方は、人によって違うのかもしれない、と……。

なぜ、同じものなのに、赤色に見える人と、茶色に見える人がいるんだろう？　人は、人によってまったく違う世界を見ているのではないだろうか？

「新しいアイデアに、形を与えたい」という気持ちと、「人はそれぞれ、どのようにして世界を見ているのか」という疑問。異なるふたつの興味を漠然と抱きながら、私は高校に進学します。

マッキントッシュの画面は、心理学者が設計している!?

私が進学した都立《とりつ》晴海《はるみ》総合《そうごう》高校《こうこう》は、当時、開校2年目を迎えたばかりの新しい学校でした。最新のコンピュータ設備が整っているほか、さまざまな教科を横断した授業や、自分の関心のあるテーマを深める「課題研究」など、少し変わった学び方をする先進的な高校でした。

ところが、大学受験が近づいた高校2年生の頃から、学校の先生たちの様子が、少し変わったような気がしました。それまで私は、教科の枠にとらわれることなく、自由な学びを楽しんでいました。そして、先生たちもそうした学びを後押ししてくれていたのです。**それが急に「文系か理系、どちらの進路に進むのか、決めなさい」と進路選択を迫られるような雰囲気を感じるようになったのです。**

進路を考えるうえで、私は「何が好きか?」「自分が興味を持っているものは何だろう?」と考えました。一方で、大人たちからは同時に、こうも聞かれました。

「得意な科目や苦手な科目は?」

――みなさんもひょっとしたら、聞かれたことがあるのではないでしょうか。高校生の進路選択のうえで、まずは得意または苦手な科目を基準に文系か理系かを選ぶのは、よくある方法です。しかし、私はこの質問に大いに苦しみました。

幼少期からの「新しいアイデアに、形を与えたい」という気持ちに加え、当時の私は、コンピュータなどの最新技術に興味を持ち始めていました。コンピュータを使って何かをつくるというと、一般的には、工学部などの「理系」に進むことになります。

しかし、私は数学が苦手でした。そう私がいうと、だいたいの先生が「数学が苦手なら、文系に進んではどう？」と言います。

私は文系か理系かの選択で迷いながら、心のどこかで、納得できないような気持ちを抱えていました。**そもそも、なぜ、文系と理系、どちらかを選ばなければいけないのでしょうか？** 英語や数学、理科といった、高校の教科の枠組みの中の「得意、苦手」で進む道が決まるのなら、自分の人生はずっと、教科の枠組みに縛られていくのだろうか。なんとなく、それには抵抗がありました。

そんなときです。通っていた塾で、アルバイトの講師をしていた大学生が、こんな話をしてくれました。

「マッキントッシュの画面は、心理学者が設計しているんだ。」

マッキントッシュ(Macintosh)、通称Mac《マック》は、アップル社の創業者のひとり、スティーブ・ジョブズによって開発された、パーソナル・コンピュータ（パソコン）です。当時は、パソコンやインターネットが初心者や一般家庭にも普及し始めた時期で、なかでもMac《マック》は、高いデザイン性や機能性で話題を集めていました。といっても、私自身は当時、Mac《マック》に詳しいわけでもなく、スティーブ・ジョブズも知らない高校生。それでも、Mac《マック》が最先端のパソコンである、というくらいの知識はありました。

一方、心理学というと、日本では文学部など文系の学部で学ぶことが多く、「文系の人が学ぶ」というイメージのある学問です。高校生の私が「心理学」と聞いて連想したのは、バラエティー番組でよく見る、心理テストや心理クイズ――。理系とはかけ離れているものばかりでした。

それが、パソコンの画面は、人が使いやすいようにと、心理学的な研究をもとに設計されていたというのです。最先端のパソコンを、文系の「心理学者」が設計している……？そんなアプローチで、コンピュータにかかわる方法があるのか！

文系か理系かという枠組みが、自分の中でがらがらと崩れていきました。

ただ、このとき私の心に浮かんだのは、「自分も最先端のパソコンを設計してみたい」と

文・理の間に見つけた逃げ道

いう思いでも「心理学を学びたい」という気持ちでもありません。

——逃げられる！

文系か理系かの二択から、英語や数学、理科などの教科への評価から、いったん逃げる道が、コンピュータと心理学との間にきっとある。

私は、どちらかを選ぶことから逃げて、文系と理系の「間」を行こうと思ったのです。

このときの「逃げ道」が、実は、私が抱いてきたふたつの興味——「新しいアイデアに、形を与えたい」という気持ちと、「人はそれぞれ、どのようにして世界を見ているのか」という疑問——にも通じていたことに、後《のち》に私は気づくことになります。

すべてのものは「人間の生活」から設計されている

「コンピュータ　使いやすさ　人間　道具」
人生を決めた検索ワード

Mac《マック》の話を聞いて感銘を受けた私ですが、実際のところ、どのような進学先を選べば、文系と理系の「間」でコンピュータやテクノロジーにかかわることができるのか、わかりませんでした。そこで、高校の「課題研究」の時間を使い、「コンピュータの画面の使いやすさ」を自分のテーマに設定して、取り組んでみることにしたのです。

そうはいっても、何をどのように調べたらいいのか、まったくわかりません。ひとまず、大学生の話の中に出てきた単語を並べて、インターネットで検索してみることにしました。

「コンピュータ　使いやすさ　人間　道具」

こんな検索で何が出てくるというのか、と、なかば諦めながら検索ボタンを押すと、ずらっと関連するサイトが表示されました。その中のひとつにD.A.ノーマンというアメリカの認知科学者が書いた『誰のためのデザイン?』という名前の本がありました。ものを設計する人にとってのバイブルとして紹介されており、「コンピュータの画面の使いやすさ」の研究をするうえで、まずは読んでおくべき一冊のように私には見えました。

デザインという言葉に、ファッションデザインのような〝おしゃれ〟なイメージしか抱いていなかった私。読書も苦手で、300ページ近くあるその本を、読み切る自信もありませんでした。それでも課題研究の参考になればと思って、読んでみることにしました。

ところが、ひとたびページをめくると、その本に夢中になってしまったのです。

『誰のためのデザイン?』には、「毎日の生活の中で使われる道具は、それを使う『人間』側の視点で設計されている」ということが書かれていました。例えば、人間が生活をどのように送り、どのように動いているか。あるいは人間が、自分以外の世界をどうとらえているか——。そういった日常生活の中にあるささいな人間の営みや、人間自体が持つ性質が、ものや道具の形にも影響しているのだ、と。つまり、私たちの身のまわりにある「ものや道具」のほとんどには、〝その形になっている理由〟があるのです！

単なるひらめきや思いつきだけではなく、人間が理由を持って「ものや道具」の形を決めているということ自体が、私にとっては驚きでした。アイデアに形を与える行為と、「人はそれぞれ、どのようにして世界を見ているのか」という疑問は、どうやら密接に関係しているらしいと知ったのです。

本から顔を上げて、周囲を見回すと、自分のまわりにある、あらゆるボタンやドア、さまざまな道具の形や色が、急に目に入ってきました。そして、どういう考え方にもとづいて、その形や色になっているのかを考えるようになりました。

例えば、エレベーターのボタンについて考えてみましょう。よく見てみると、「閉じる」のボタンより「開く」のボタンのほうが大きかったり、目立つようにデザインされていたりします。

なぜ、エレベーターのボタンは、「閉じる」より「開く」のほうが大きいのでしょうか。人やものがドアに挟まってしまうなどの緊急事態をイメージしてみてください。とっさに使うのは「開く」ボタンです。だから、すぐに人の目に留まるように「開く」ボタンのほうが、あえて少し大きく、目立つようにつくられているのでしょう。

シュレッダーのボタンにも、似た工夫が施されています。一番目立つ、赤くて大きいボタンが「緊急停止ボタン」になっていることが多いはずです。これも、断裁してはいけないものが間違ってシュレッダーに入ってしまうなど、緊急の状況のほうを重視して、この形になっているのかもしれません。「一番目立つボタンは、一番使うスタートボタンのほうがいい」というわけではないのです。

どちらも、普段は意識すらしないようなものです。しかし、**いざというときに人間が反応しやすいよう、人間の性質を考慮してつくられていると考えられます。**

ところが、世の中にはそうした工夫が施されていないように見えるものもあります。例えば教室の電気のスイッチは、「どのボタンを押すと、どこの部分の電気がつくか」がわかりにくいことがあります。もっと感覚的に、どこを押したらどの部分の電気がつくか、わかりやすくするためには、どんな形のスイッチにすればいいだろうか。その問いの先には、もしかすると今までにない、新しいスイッチの形があるかもしれません。

『誰のためのデザイン?』を読んでから、世の中のものや道具には、人間が使いやすいような「デザイン」が施されているものと、施されていないものがあることに気づきました。

デザインと出合い、世界が変わった

使いやすいものは、なぜ、使いやすいのか。使いにくいものは、なぜ、使いにくいのか。

ありとあらゆる道具を、こうした視点で眺めてみることで、私のまわりの世界が、がらりと変わって見えました。

「課題研究」を通じて、私は、「ものや道具の使いやすさ」と「人間が世界をどのようにとらえているか」との「間」にどんな関係があるのか、もう少し深く知りたいと思うようになりました。そして、もともと興味のあったコンピュータを題材に、「コンピュータというものの使いやすさ」を考え、画面やアイコン、操作手順のあり方などを研究できる場所があると聞いて、慶應義塾大学の湘南藤沢《しょうなんふじさわ》キャンパスへと進学します。

「犬のため」では研究できない！

私が大学に進学した頃、学生たちがこぞって注目していたのは、「パソコンを使って、どれだけ目新しいことができるか」ということでした。当時は、インターネットが普及し始めたばかりで、何をやっても新しいといわれるような状況だったからでしょう。同じ学部の学生が取り組んでいたのは、「インターネット上に掲示板をつくる方法」などの研究でした。しかし、私にはそれらが斬新なアイデアとはいい難いように見えました。

私は、今あるものの延長線上ではなく、考え方からして「まったく新しい」と思えるようなアイデアを出したい。そのためには、もっと根本的に「コンピュータというものの使いやすさ」について考えなければ……。

そんな思いを募らせすぎてしまい、私が研究テーマに選んだのが「犬のためのインターフェース」――犬が使いやすいコンピュータの形についてでした。犬のためのコンピュータのあり方を考えることで、「使いやすさとはどういうことか」を根本から明らかにしたい、と思ったのでしょう。

考え方としてはおもしろいものの、どのように研究したらいいのか、具体的な手法が見いだせず、成果につながりませんでした。頭の中だけで考えすぎて「机上の空論」になってしまっていたのですね。当時の指導教員の先生から、かなり厳しく助言を受けたことを覚えています。（そもそも私は、犬を飼ってすらいなかったのに、一体どうやって研究するつもりだったのでしょう？）

この失敗を教訓に、私は、頭の中で「考え方」だけを練るのをやめることにしました。本来自分の好きな、手を動かしながらものをつくることで、新たな考え方に行き着きたいと考えるようになりました。

発想の方法を転換したことで、抽象的だった私の問いが、このときを境に、少しずつ変化していきました。手を動かして、具体的な何かをつくりながら、「もの」と「人間」との関係性を考えるには……。**次第に、私は「コンピュータの使いやすさ」だけを考えるのではなく「生活の中に自然となじむ、コンピュータのあり方そのもの」をつくれないか、と思い始めます。**

そもそも、コンピュータとはすばやく大量の情報を処理できる機械のことで、何も、パソコンやスマートフォンの形に限りません。人が操作しやすいパソコンの画面やキーボードをどう改良するかと考えているうちは、従来のパソコンの進化形の域を出ないでしょう。

私は、人間を軸にして、今使われている形とは根本から異なる「コンピュータというものの、新しいあり方」をつくってしまおう、と考えたのです。

「使いやすい」と「使いにくい」の差を考えるだけではなく、人間の生活の側から、人間にとってのコンピュータの形がどうあるべきか、まったく新しいアイデアを出したい。そして、そのアイデアに、具体的な形を与えたい……。

――人の生活にとけこむコンピュータとは、一体どんな形だろう？

こうして私は、未来のコンピュータと人との関係性を模索し始めたのです。

コンピュータが「自分の身体の一部」になる瞬間を目指して

なぜそのカーソルは「君のカーソル」？

理想的な「人の生活にとけこむ」状態とは、コンピュータを使っているということが意識にものぼらないくらいの状態です。

コンピュータを通じた行動だけに集中できる状態――まるでコンピュータが自分の身体の一部のように感じられるということが、ひとつの「生活にとけこむ」状態といえます。

では、「自分の身体の一部のように感じられる」のはどんなときでしょうか。

例えば、目の前に飛んでいるハエは、自分の一部だとは思いません。でも、パソコンを

理想は生活にとけこむこと

使うとき、画面の中で動くカーソルは「間違いなく、自分が動かしている」と思えるはずです。

改めて考えてみると、不思議です。カーソルもハエも、目の前を移動する黒い物体という点では変わりありません。**どちらも生身の身体ではないのに、なぜカーソルだけ自分の身体の延長のように感じられるのか。**

このことを考えるために、私は、ある実験をしてみました。自分自身が操作しているカーソルに加えて、そのカーソルと見た目がまったく同じダミーのカーソルを、画面上にたくさん配置します。そして、ダミーのカーソルは、マウスの方向とは無関係に動く状態をつくります。この状態で、人は「自分のカーソル」を発見できるかを検証しました。

マウスとカーソルがどう連動するか

すると結果は、ほとんどの人が、すぐに自分の操作するカーソルを発見することができました。つまり、人間は、自分のカーソルを色や形以外の情報で認識している、とわかります。

こうした実験や研究の結果、私がたどり着いたのは、自分のカーソルの発見には「動きの連動」が重要で、それがいわば「これが自分だ」という感覚をつくっているということだったのです。その証拠に、カーソルの実験でも、マウスを操作したときにすぐにカーソルが動かないと、「自分のカーソル」の発見が急に難しくなりました。

実は、「動きの連動」が「これが自分だ」という感覚をつくるということは、みなさんの身のまわりのさまざまな道具にもいえることです。

例えば、ゲームを思い浮かべてみてください。車を運転するゲームの場合、コントローラーのボタンを押して操作するゲームより、ハンドル型のコントローラーで、運転する操作がそのまま画面の中のキャラクターと連動するゲームのほうが、自分が運転している感覚を持てるはずです。

また、みなさんがスマートフォンやタブレットを操作するとき、画面の動きが自分の指の動きと連動せずに、遅れたり、動きが飛んだりすると「モッサリ動く」といった違和感を覚えることがあるでしょう。

一方、遅れがないと「サクサク動く」気持ちよさを味わうことができます。動きが連動すると、自分と、操作する対象との間にあるはずのもの、例えば画面の存在を意識しなくなる。そして、まるで自分の手でスマートフォンの中の情報を直接動かしているかのような感覚で、スマートフォンを操作できるはずです。

動きの連動によって、コントローラーや画面はまるで存在しないかのように感じられる瞬間が生まれる。自然と、操作している対象を「これが自分だ」と感じる……。**実は、この「これが自分だ」という感覚の有無こそが、道具の「使いやすさ」や「使いにくさ」にもつながっているのです。**

計量スプーンがレシピを教えてくれる

コンピュータを用いた道具の形が、人間の自然な生活の動きと連動しやすくなっていれば、「これが自分だ」という感覚を得やすくなります。それはつまり、道具の存在を意識しないくらい「使いやすい」ということです。

ところが、実際の人間の生活に目を向けてみると、パソコンやスマートフォンといった形のままでは、なかなか自然な生活の動きとは連動しにくい場面がたくさんあります。その場所、状況で、コンピュータはどんな形をしているといいのか。具体的なアイデアを考えて形にしてみるのが、私の研究のやり方です。

例えば、キッチンで料理をする状況を想像してみてください。今は、パソコンやスマートフォンをその都度開き、レシピを見て、「調味料は何ml」といった情報を得てから、実際の計量の作業をします。でも、もし計量スプーン自体が、レシピにあわせて形が変わり、適量を量れるようになっていたら、どうでしょう。いちいちスマートフォンを開いて、レシピを見る必要はありません。調味料を「すくう」だけで、レシピの情報を利用すること

自動で量ってくれるスプーン

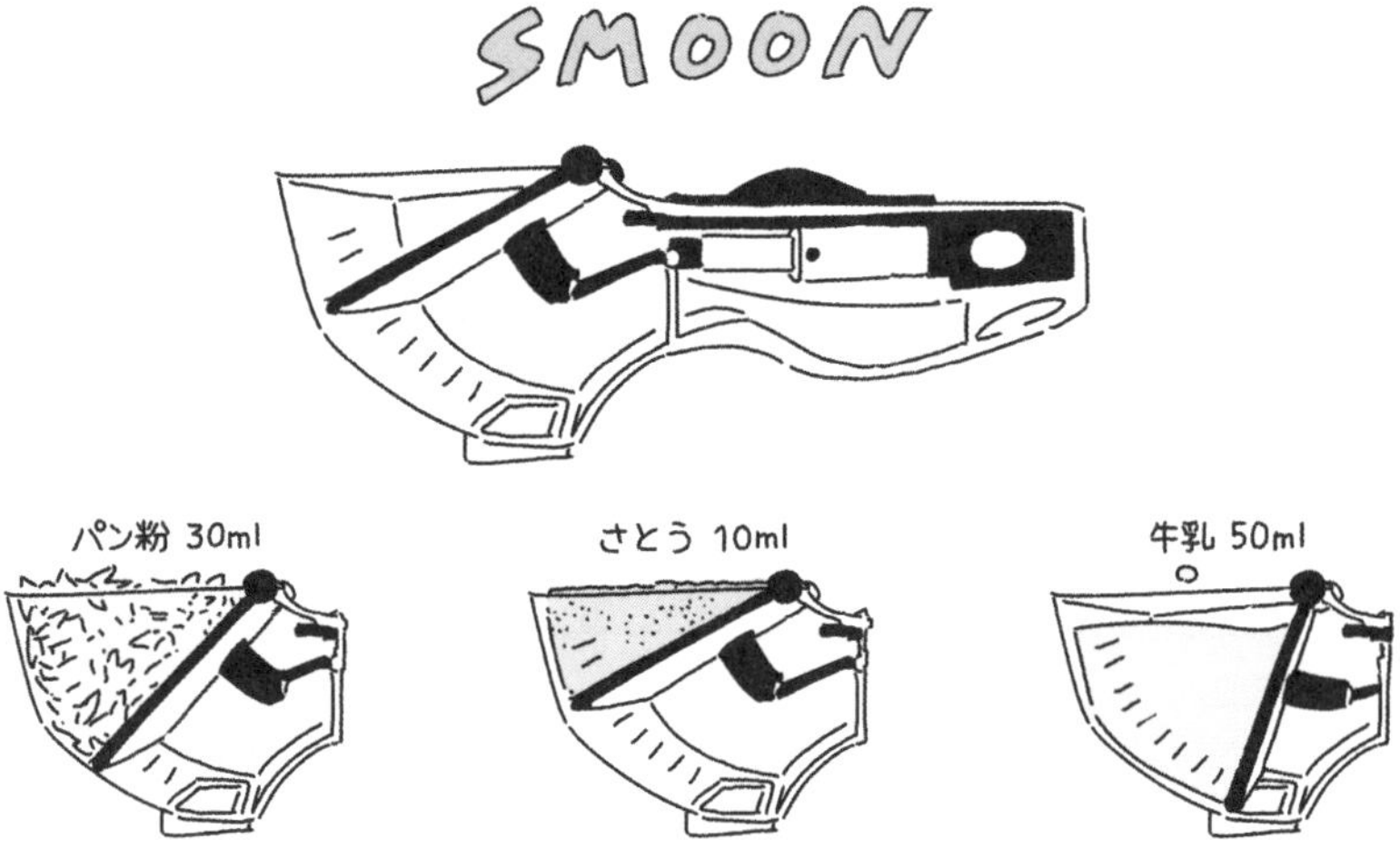

ができたら——。このアイデアから生まれたのが、ロボット型計量スプーン「smoon《スムーン》」です。情報を得ることと、人間が作業する動きが連動することで、コンピュータの存在は透明になるかのように意識されなくなり、生活にとけこんでいきます。

コンピュータが活躍する可能性は、まだまだたくさんあります。**人間一人ひとりの動きと、コンピュータを使った道具をどうやって連動させていくか。具体的な場面、状況にあわせて、実際にものをつくってみながら、考えているのです。**

実は、こうした研究の下地には「生態心理学」と呼ばれる学問があります。生態心理学とは「意識的にしても、無意識的にしても、人間は他者を含む環境にあわせて行動している」という考えにもとづき、人間をとらえる学問です。

人間と環境は、切りわけられない。心や脳などの人間の内側ではなく、外側との「関係性」の中にこそ、人間の本質があるのでは——。そう信じるからこそ、私は、普通の生活の営みに目を凝らし、人間とコンピュータとの可能性を見いだそうとしているのです。

ふり返ると、幼少期の「新しいアイデアに、形を与えたい」という気持ちと、「人はそれぞれ、どのようにして世界を見ているのか」という疑問は、今の私の研究にそのまま生きているようにも見えます。しかし、このふたつの関心ごとを結ぶのは、そう容易な道のりではありませんでした。頭の中で考えるだけではなく、実際に手を動かして研究できる状態に至るまで、多くの試行錯誤がありました。

理系に進んで、工学を専門にコンピュータを探究する道も、文系に進んで、心理学を専門に人間を探究する道もあったでしょう。**しかし、それらがどうかかわり合っているか、ふたつの「間」に注目したからこそ、既存の学問の枠を超えた問いにたどり着いたのです。**

未来のコンピュータのあり方を考えるヒントは、「人の生活」を見つめた先に、きっとある——。これが私の学問探究です。

あなただけの「！」を見つけるために

　人間とコンピュータとの関係性そのものを考え、体験を設計する――。渡邊《わたなべ》先生の研究は、近年生まれた新しい学問領域です。あの日、文系と理系のわかれ道の前で、〝逃げ道〟を見つけた。結果的には、その逃げ道の先に、新しい学問領域が広がっていました。私たちはときに、わかりやすくジャンルわけされたものの中から、自分の進む道を選ぼうとしてしまいます。しかし、ひょっとしたら人生を切り開くヒントは、わけられないこと、選べないことの中にあるのかもしれません。

！　あなたが今、選べないものは何だろう？

！　どちらかを選ぶのではなく、
「第3の道」はないだろうか？

もっと究めるための3冊

融けるデザイン

著／渡邊恵太　ビー・エヌ・エヌ

テクノロジーが進歩し、変わり続ける世界で
私たちはどう情報を設計し、使うのか。
人間を中心にした、新しいデザインの発想法が
まとめられています。

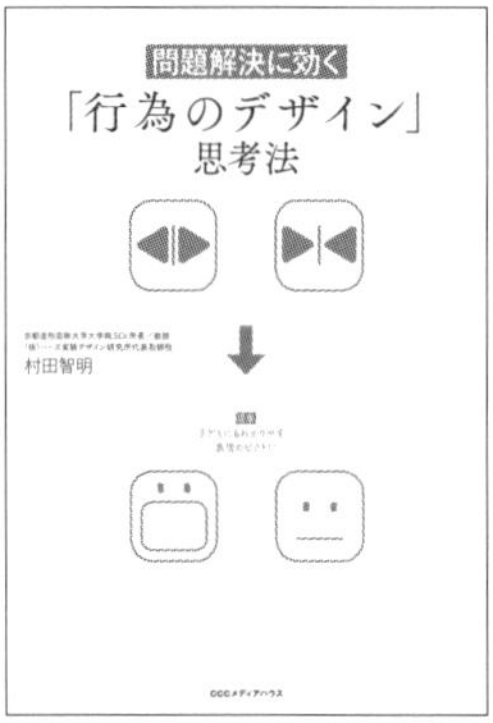

問題解決に効く「行為のデザイン」思考法

著／村田智明　CCCメディアハウス

「人の行為」から形をつくれば
説明書がなくても正しく使える!
日常の中の行為をデザインすることで
新たなものの形を生み出す手法が
紹介されています。

新版 アフォーダンス

著／佐々木正人　岩波書店

なぜ目の前の景色はこのように見えるのか、
そのために身体は何をしているのか。
自分と世界との関係について、
見方が変わる一冊です。

2 ドン底で見た、マンガの中のリアル

トミヤマユキコ先生

１９７９年秋田県生まれ。早稲田大学法学部卒業。早稲田大学文学研究科博士後期課程満期退学。現在は東北芸術工科大学芸術学部文芸学科講師を務めるかたわら、ライターとしても活動している。専門は日本近現代文学・少女マンガ。

集団の真ん中にはいられないし、いなくてもいい！

仲良しグループの真ん中に、いられなくてもいい。「男か女か」を、そんなに意識しなくてもいい。みんなの中の主流派でなくても、十分楽しく生きられる！

――幼少期の経験がきっかけとなり、集団から少し外れた場所に身を置き、自分の大好きなサブカルチャーの世界に没頭していった少女がいます。深夜ラジオを聴きながら、ハガキにネタを書いては送り、ラジオの構成作家を夢見たその少女――トミヤマユキコ先生は、大学で受けたユニークな講義の影響を受けて、文学研究の世界に足を踏み入れました。

ところが、せっかく始めた文学研究になかなかやりがいを見いだせず、20代後半にしてニートのような生活を送ることになります。まわりの熱心な研究者とくらべると、大学院では浮いていて、何の実績も残せていません。

仕事もない。お金もない。社会に自分の居場所がない……。

そんなときに出合った一冊の恋愛マンガが、トミヤマ先生の人生を大きく変えることになります。どこにも居場所がなく、生活もままならなかったからこそ、トミヤマ先生は恋愛マンガから「ラブ」や「ファンタジー」ではなく「リアルな生活」という素材を発見したのです。

こうしてトミヤマ先生は、文学研究の中でも先進的な「マンガ研究」の道へと進んでいくことになります。それもラブストーリーを描いているはずの少女マンガを研究することで、リアルな女性の働き方を読み解けないか？と独自の問いを携えて……。


これは、集団の中にいられなかった少女が、居場所を失ったことで、「女性が働くこと」という独自のテーマを獲得し、フィクションの中からリアルな生活の営みを読み解き始めるまでのお話です。

サブカル少女が、法学部から文学研究に転向した理由

〝ど真ん中〟ではない世界が好き

「私は集団の真ん中ではなく、その〝まわり〟にいる」——。

私はいつも、自分がみんなからちょっと外れたところにいる人間だという感覚を持って生きてきました。

この感覚は、小学校を転々とした経験から生まれたのかもしれません。

転勤族だった親に連れられ、転校をくり返した私は、長くても2、3年で友人と別れるような小学校生活を送りました。どの小学校にも「私たち、幼稚園のときからずっと一緒

集団の“まわり”にいる私

なの」といった仲良しグループがあるものです。しかし、よそ者の自分は、長い年月をかけて築かれた仲良しグループの中に入っていくことはできないと感じていました。

それなら、無理に入りこもうとせず、みんなのまわりにいながらも楽しく生活したほうがいい！——次第に私は、ちょっと離れたところから「集団」を見つめるようになっていきました。

転校続きの小学校生活が終わり、中高一貫の女子校に進むと、自分とはどんな人間なのかをじっくり考えたり、好きなものに没頭したりする心の余裕が生まれました。私が夢中になったのは、ラジオの深夜番組やお笑い、音楽など、いわゆるサブカルチャーと呼ばれる文化でした。私の両親にマンガを読む習慣がなかったこともあり、私が子どもの頃は、マンガを禁止されていました。でも、なぜか、深夜ラジオやバラエティー番組などに没頭することは、黙認してくれていたのです。

私が特に好きだったのは、サブカルチャーの世界にいる、主流や売れ筋路線からは外れながらも、それぞれの価値観を貫く表現者たちでした。今でこそ「サブカル（チャー）」という言葉は一般的になりましたが、当時はまだまだ一部のマニアックな人たちの趣味と見なす人もいました。

しかし、「みんなと一緒、集団の中心」ではない、独自の世界観に、私は魅了されていきました。

当時私のまわりでは、サッカーなどのスポーツ、宝塚《たからづか》やアイドルグループなどが人気でした。特にサッカーはＪリーグが開幕したばかりで女性のファンがたくさんいました。そんな世間のブームをよそに、私は深夜ラジオを聴き、せっせとハガキにネタを書いて投稿しました。

自分がメジャー路線ではなく、サブカルチャーの世界にどっぷりはまっていることを、引け目に感じることはありませんでした。夜な夜なハガキを書きながら、「将来は、ラジオの構成作家になれたらいいな」と、ただ夢を膨らませていたのです。

「男の子に間違えられる」のは、かわいそう？

集団の真ん中ではなく、ちょっと離れた〝まわり〟から友人グループを見つめてみると、不思議に思うことがたくさんありました。

高校生のときのことです。私には、親しくしている友人たちがいました。彼女たちは、学校にいるときは校則通りのスカート丈で過ごしますが、繁華街にある予備校に行くときだけは、最寄駅までの移動中にスカートの丈を短くするのです。学校にいる間は、私とも仲良く話しているのに、ひとたびスカートの丈を短くすると、スカート丈が長いままの私とは距離を取りました。そして、駅から予備校までの道のりを、短いスカート姿で連なって歩くのです。

学校ではあんなに仲良くしていたのに、どうして、この時間だけは私と距離を取るのだろう？　**スカートの丈を短くした彼女たちに、一体何が起きているのだろう？**——私は不思議でした。きっと、駅から予備校までの道のりは、彼女たちにとって、周囲の視線が注がれる中をイケてる姿で歩く、いわばファッションモデルにとっての〝ランウェイ〟のようなものだったのでしょう。

女子校での生活と、繁華街での行動との間に、何の違いがあるのか。どうして世間、特に異性の目が、人の行動を変えるのか――。そのとき芽生えたのは、憤《いきどお》りや不快感ではなく、単純に、「不思議だな」「よくわからないな」という気持ちでした。

当時の私は『男か女か』で変に区別をすることなく、『人と人』でつきあっていけばいいじゃないか」とシンプルに考えていたので、時折まわりで起きる「性別の違いによって生じる不思議なこと、アンバランスさ」に対して「何でだろう？」と疑問を感じずにはいられなかったのです。

例えば、幼い頃、私は、よく男の子に間違えられていました。すると、そのたびにまわりの人から「また男の子に間違えられちゃって、かわいそうね」「本当はかわいい女の子なのにね」といった声をかけられました。

女の子が「男の子みたい」に見えると、かわいそうなのだろうか？　私自身は「男か女か」の区別に対して、何とも感じていないのに……。

また、あるときは学校の担任とちょっとした口論になり、「お前のお母さん、おかしいんじゃないの」とひどい言葉を投げかけられたことがありました。家に帰ってから両親に報告すると、母は当然、憤慨します。そこで、担任に抗議の電話をすることになったのです

突然変わる関係性への違和感

が、母ではなく、父がその電話をかけたのです。

　子ども心に「こういうときは父親が出ていくほうが、話が丸く収まる」といった暗黙のルールのようなものを感じ取りました。それでも疑問は残りました。なぜ、お父さんが電話をするんだろう？　怒っているのは、お母さんなのに……。

　中学・高校時代の学園祭では、こんなこともありました。私は食堂の担当になったのですが、お客さんが少なかったので、お昼どきに廊下に出て、「焼きそばがありますよ、いかがですか」と元気よく呼びこみを始めました。すると、見回りで通りかかった校長先生から、ひどく怒られてしまったのです。

一体なぜ、呼びこみをしただけで怒られたのか。そのとき私は、校長先生の中に「女の子が大きな声で呼びこみをするなんて、下品だ」という考えがあるのでは、と感じ取りました。しかしどうしても納得ができず、ずっと考え続けました。なぜ、女の子が大声でお客さんを呼びこもうとすることを、下品だと思う人がいるのだろう？　もし、男の子が呼びこみをしていたら、受け取る感覚は違っていたのだろうか……。

当時は、自分が一体何にいちいちひっかかり、疑問を持っているのかがわかりませんでした。**今思えば、私自身が抱いたのは、「人と人」が対等な関係ではなくなる瞬間——「男性社会」や「世間の目」に組み敷かれる瞬間への違和感だったのかもしれません。**

身近な集団の中にある、不思議な慣習やできごとに疑問を抱きながらも、私自身は「みんなと一緒にスカートの丈を短くしよう」とは思いませんでした。「集団の真ん中にいなくちゃ」「〝普通〟にならなくちゃ」と思うから、苦しくなるのです。「集団の真ん中にはいられないし、いなくてもいい！」そんな考え方が、私の中で形づくられていきました。

別に集団の中にいなくても、楽しく生きていくことはできます。だって、私の大好きなサブカルチャーの世界には、主流から外れても人生を楽しんでいる人たちがたくさんいるのだから！――このことをサブカルチャーから学んだ私は、集団の中にはいられない自分のことも、前向きにとらえていくようになったのです。

わけがわからないから、おもしろい。あやしい講義につられて文学の道へ

サブカルチャー一色の高校時代を過ごした私は、当時大好きだったバンド「真心《まごころ》ブラザーズ」のメンバー・桜井秀俊《さくらいひでとし》さんと、クリエイターのいとうせいこうさんが、共に早稲田大学法学部の出身だと知り、彼らを追いかけて早稲田大学を目指します。一浪の末、どうにか法学部に入学し、憧れの人たちの後輩になることができました。しかし、いざ講義が始まってみると、法学の勉強には、ちっとものめりこむことができませんでした。

そんな中、「政治経済学部の先生が、おもしろい講義をやっているよ」と先輩から聞きつけて、こっそり他学部の教室まで講義を受けに行くことにしました。「映像文化論」と名づけられたその講義は、あまりにもユニークで、「これが大学の講義なの？」と疑問に思うものでした。

世界の見方が変わるおもしろさ

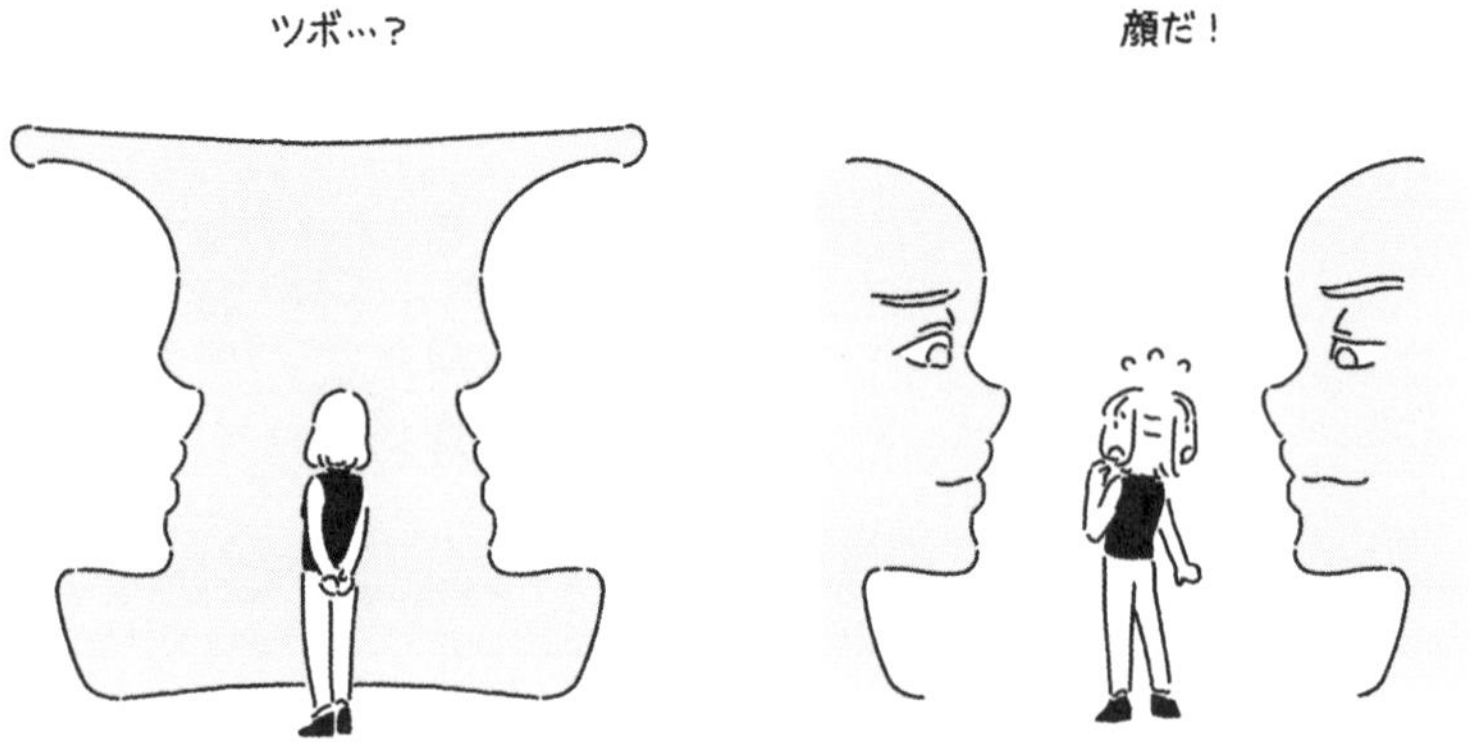

例えば、ある日の講義では、写真家の中野《なかの》正貴《まさたか》さんの『TOKYO《トーキョー》 NOBODY《ノーバディ》』という写真集が紹介されました。「誰も写っていない」がコンセプトの写真集なのですが、「本当に『誰も写っていない』のかな？　ひょっとしたら誰か写っているかもしれないよ」という先生の問いかけを受けて、受講生たちは〝写っているかもしれない誰か〟を一生懸命探すのです。

一体、何のためにこんなことを？――**この「わけのわからなさ」を、私は途方もなく、おもしろく感じたのです。**正解もない、一見すると意味もないようなことを、延々と考えていてもいいんだ……。

私は、その先生のいる文学部の大学院へと進むことにしました。

ドン底と『ハッピー・マニア』がくれた「働くこと」への眼差《まなざ》し

もらった5000円で食いつなぐ生活

「他学部の先生の講義が楽しかったから」という理由で、文学部の大学院に進んだものの、いざ研究が始まってみると、戸惑うことだらけでした。

私は研究対象として日本の近代文学を選びました。そして、研究の題材に取り上げたのが、大正から昭和にかけて活躍した、江戸川乱歩《えどがわらんぽ》の作品です。『怪人二十面相』でよく知られる作家ですが、初期には『D坂の殺人事件』『人間椅子』など、大人の読者を引きこむ優れた短編作品を、多数執筆しています。

日本近代文学研究の王道といえば、夏目漱石《なつめそうせき》や森鷗外《もりおうがい》といった名前があがるかもしれません。でも、探偵小説の草分けであり、文学の世界ではサブカルチャー的な側面も多分に有する江戸川乱歩《えどがわらんぽ》は、私にぴったりの研究対象だと思いました。とはいえ、法学部出身の私には、文学研究に必要な基礎知識がありません。まずは江戸川乱歩《えどがわらんぽ》を通じて、文学研究の手法を身につけたいと思っていました。

文学研究では、対象となる作品を読むだけでなく、先行する研究論文を読み、「なぜこの作品は、こんな書かれ方をしたのか」を一つひとつ考えたり、過去の資料を調べながら、ひも解いていったりすることが求められます。例えば江戸川乱歩《えどがわらんぽ》は浅草《あさくさ》を舞台に、さまざまな作品を描きました。作品の中に描かれている浅草《あさくさ》の様子と、実際の浅草《あさくさ》の様子を照らし合わせるなどして、細かな描写を拾いながら、作品世界を検証していくのも、研究におけるひとつのプロセスです。

しかし、正しい文学研究の手法が身についていない私は、思ったように研究を進められずにいました。図書館に行っても、どの棚に文学に関する本があるのかさえ、わからないところからのスタートでしたから、無理もありません。

次第に私は、文学研究におもしろさを感じられなくなっていきました。まわりの研究者は熱心な人ばかりで、その差を埋めようとどんなにがんばっても追いつきません。すっか

描かれたものをより鮮明にするのが文学研究

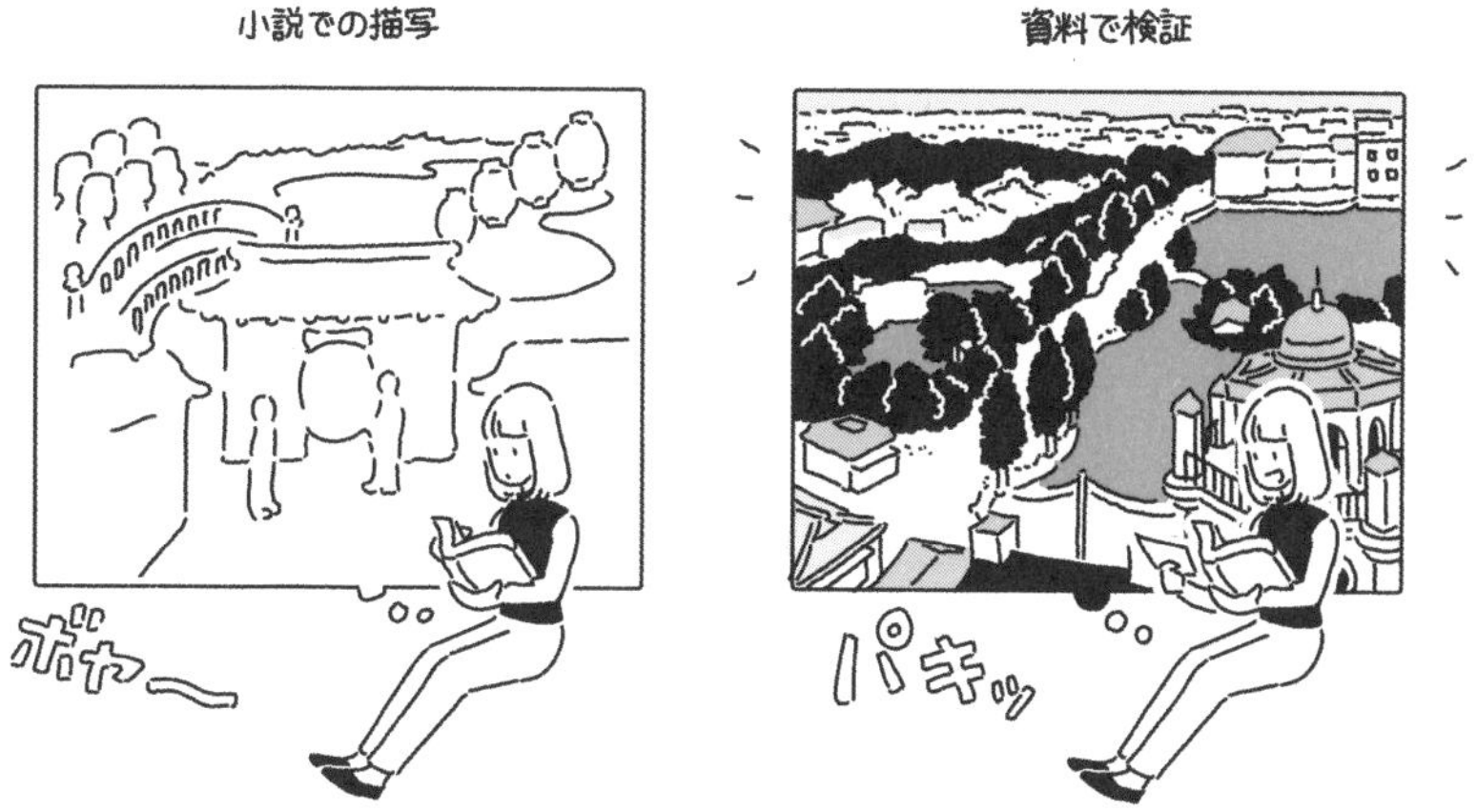

りメンタルが弱ってしまいました。

「あれ？　文学研究の何が好きだったんだっけ？」――文学研究のおもしろさを見失った私がこのままがんばっても、他の研究者には追いつけないだろう。そうした後ろめたさが、次第にサボりぐせにつながり、博士課程に進んでからは、大学に行くことを避けるようになりました。

　正規の仕事をしていない大学院生には、お金がありません。友人と遊び歩くことさえできませんでした。お金がなくなると、同じマンションに住んでいた大叔母の家に行き、床掃除をします。掃除代としてもらった5000円を、1週間の生活費にあてて、何とかやり過ごす日々。ニート同然の生活を送っていました。

こんな生活を送っているうちに、20代後半へと突入してしまいました。「ちゃんと仕事をしなければ、まずい」と思いつつ、正規の就活ルートからはとっくに外れてしまった。**大学にも、社会にも、私の居場所はない。自分の行き先が見つけられない……。**

どうしたらいいのかわからなくなり、生活も、心も、どんどん荒《すさ》んでいきました。

運命の人と結婚して幸せ……じゃない主人公

ある日のことです。

いつも通りの自堕落な1日を送った帰り道、ふと立ち寄った書店で見つけたのが、安野《あんの》モヨコさんの『ハッピー・マニア』でした。

20歳まで親にマンガを読むことを禁止されていたため、書店のマンガ棚に「少女マンガ」というジャンルがあることすらよくわかっていなかった私。「すぐに読みきれそう」という理由だけで、その『ハッピー・マニア』を手に取ったのです。

『ハッピー・マニア』の主人公・重田加代子《しげたかよこ》は、決まった仕事にも就かず、理想の恋人を求めては失敗をくり返す日々を送ります。私とは、まったく境遇の違う女性です。しかし、読み進めながら、私は次第に主人公の姿に、自分を重ねるようになりました。

マンガの中の重田加代子《しげたかよこ》は、「彼氏がほしい」「幸せになりたい」と言うのに、いざ結婚が近づくと、そこから逃げ出してしまいます。恋愛の行き着く先が結婚ではないという考え方は、少女マンガの王道である「運命の人と出会って、結婚すれば、幸せになれる」という世界観とは一線を画していました。

どこにたどり着くのかもわからない〝惑い〟の中にいる女性の姿が、そのマンガの中には描かれていました。私と同じ、自分の行き先がわからない加代子《かよこ》。それなのに、ラブさえあれば生きていけると、ひたすら試行錯誤をくり返している……。惑いながらも破天荒で、全力で幸せを求めるヒロインを見ていると、優等生的に生きられなくてもいいのだと、勇気をもらったような気持ちになりました。

『ハッピー・マニア』は一般的には、恋愛マンガとして知られています。しかし、恋愛ストーリーではない部分に、強く共感する自分がいました。それは、何者でもない自分、集団の真ん中にはいられない自分、惑っている自分、居場所のない自分……。

——私のことが描《か》いてある！　マンガは、人生の参考書だ！

恋愛マンガの中には、主軸であるラブストーリーとは別に、女性のリアルな人生が描かれている、と気づいたのです。

ドン底の状態で少女マンガと出合ったことによって、次第にある問いが、私の中に芽生え始めます。それは「居場所」をめぐる問いでした。

例えば、恋人がいると、たしかに居心地はいいでしょう。けれど、確実な「居場所」とまではいえないのではないか。**それなら、社会の中に自分の居場所がある、と思えるほうがいいのかな。でも、それってどういう状態なんだろう？——と。**

後《のち》に私はマンガ研究家である藤本由香里《ふじもとゆかり》さんの『私の居場所はどこにあるの？ 少女マンガが映す心のかたち』という本に出合います。その中に「仕事」という章を見つけたとき、「これだ」と思いました。仕事も居場所になるのかもしれない、と。

社会の中に自分の居場所があると思うためには、恋愛や結婚だけではなく「どう働くか」も重要ではないか。働くことで居場所を獲得することには、「男か女か」の区別はないはずです。しかし、女性の場合、男性にくらべて、結婚や出産、配偶者の転勤など、さまざまな人生の転機によって、仕事上の選択を迫られることが多い傾向にあります。

いろいろなことに左右されながら人生が進んでいく。まっすぐ出世に向かって進むだけではなく、紆余曲折《うよきょくせつ》をたどり、試行錯誤を求められる「女性の働き方」は、おもしろい！

人それぞれの「居場所」がある

女性を描いたマンガの中には、働き方を指南するようなビジネス書よりもよっぽどリアルな「女性の働き方」が描かれているのではないか……？

ちょっと研究がうまくいかないくらいで、自分を憐《あわ》れんでいる場合ではない！——『ハッピー・マニア』に救われて、私はニートのような生活から抜け出すことができました。

その後、運よく大学の助手の仕事を得て、「何か研究発表をしてほしい」と言われたとき、私の頭に真《ま》っ先に浮かんだのが、この『ハッピー・マニア』でした。先輩の研究者たちが、日本文学やフランス文学など王道の研究発表の準備をする中、私は手探りで「マンガ研究」の発表原稿を書いたのです。

見よう見まねで発表した私のマンガ研究は、意外なことに好評を得ることができました。江戸川乱歩《えどがわらんぽ》の研究をしていたときは、誰からも褒《ほ》められることがなかったのに。自分なりのテーマから出発した研究だったからこそ、荒削りでも「おもしろい」と評価してもらえたのでしょう。

こうして、私は、これまでの文学研究とは異なる「マンガ研究」という道を発見しました。それと同時に「マンガや作品を自分なりに読み解くための切り口」として「仕事」というキーワードを得たのです。

マンガのコーティングをペリッとはがすと、リアルな生活が現れる

少女マンガはビジネス本よりビジネス事情がわかる

少女マンガにおいて、ストーリーの軸である「恋愛」では、作者のプロの技が光る、理想や妄想の入り交じったフィクションが展開されます。**でも、「仕事」については、その時代背景や作者の考えを反映したもっとリアルなものが、はっきりと描き出されているように思うのです。**

少女マンガの歴史をふり返ってみると、1980年代後半から1990年代初頭の、バブル期と呼ばれた景気のいい時代まで、仕事は女性にとって憧れの対象として描かれるこ

とが多く、主人公の職業も芸能やファッション関係といった華やかなものでした。1986年の男女雇用機会均等法の施行前後には、男性と同じように出世したいと野心を燃やすOLが登場します。しかし、バブル崩壊後、景気が悪くなり女性も働くことが当たり前になると、少女マンガの世界でも、仕事への憧れを喚起するような主人公は減っていきます。その代わりに、出世欲のないOLやニート、フリーターなどが主人公になっていくのです。『ハッピー・マニア』の主人公が非正規雇用であることも、当時の時代背景を反映しています。『ハッピー・マニア』の連載がスタートした1995年頃は就職氷河期と呼ばれ、フリーターがいるのが当たり前だったのです。景気が悪くなると、「年収300万円くらいで、生活するのがやっとという主人公」が描かれるリアルなマンガが支持されるといった傾向も見られるようになります。お金がなくても、それなりに充実した人生を送るにはどうするべきか、といったテーマで描かれる作品が増えていくのです。

優れた作家は、意識的に、あるいは無意識的に、時代背景や時代ごとの仕事観を、マンガの中に反映させています。恋愛を描く部分では現実離れした展開や、甘い雰囲気を漂わせていても、こと仕事を描くとなると、シビアな現実が映し出されていることが多い。マンガ家という職業の厳しさを知り尽くしている先生方だからこそ、働くことの現実をしっかりと描こうとされているのかもしれません。

いわゆる「お仕事マンガ」の形ではなくても、女性の人生を描けば、そこには自然と女性のリアルな仕事や人生が現れてくるもの。**私にとって、研究としてマンガを読み解くことは、甘い恋愛ストーリーのようなコーティングをペリッとはがして、その下にある現実を覗《のぞ》くような行為なのです。**

『鬼滅《きめつ》の刃《やいば》』は少女マンガ的である⁉

では、「おもしろかった」「楽しかった」「好き」で終わらせず、「マンガを、研究の切り口で読み解く」こと、つまり、研究対象として深掘りしていくうえで必要なのはどのような視点でしょうか。

そのひとつは、マンガのストーリーを表層的に追うのではなく、深層にある「構造を見る」ことです。

例えば、「少年マンガ」と「少女マンガ」の構造の違いに着目してみましょう。このふたつにどういう違いがあるかについては研究者の間でもさまざまな意見がありますが、その

内面を語る少女マンガ

どうしよう！
こんなこと
言うつもりじゃ
なかったのに！
あんたなんか
大嫌い!!

中のひとつに「内面描写に重きを置くかどうか」があります。

典型的な少年マンガが得意とするのは、あえて極端な言い方をすれば、登場人物の思ったことがそのままセリフとして出てくるというものです。「敵を倒すぞ！」というセリフがあったら、それを発した人物は間違いなく「敵を倒したい」と思っているのだろう、とそのまま受け取ることができます。

一方、少女マンガが得意とするのは、「あんたなんて大嫌い！」とセリフで発しながらも、一方で「私は今、好きな人にとんでもないことをしてしまった……」といった後悔が同時に表現されるというものです。

このような「内面描写の違い」で少年マンガと少女マンガをとらえてみると、例えば、吾峠呼世晴《ごとうげこよはる》さんのヒット作、『鬼滅《きめつ》の刃《やいば》』の見え方は、どう変わるでしょうか。
『鬼滅《きめつ》の刃《やいば》』の主人公・竈門炭治郎《かまどたんじろう》は、セリフとしてしゃべらずとも、頭の中でさまざまな考えをめぐらせており、その内面描写が作中でもたくさん登場します。少年マンガの王道ともいえる『週刊少年ジャンプ』で連載されていた『鬼滅《きめつ》の刃《やいば》』ですが、構造上はどちらかというと少女マンガに近い、ともいえます。**とすると、『鬼滅《きめつ》の刃《やいば》』は、登場人物たちが「心で何を感じているか」が重要なマンガなのだ、と読み解くこともできます。**

このように、構造に着目することで、ストーリーから一歩踏みこんで、マンガを読むことができるようになるのです。

もうひとつの正解「選択肢D」を考えよう

研究としてマンガを読むもうひとつの方法は、「自分なりのテーマを持つ」ことです。「仕事」「女性の働き方」という切り口でマンガを読むと、新たな学びを得られることがあります。例えば、小さな魔女、ショコラとバニラが「人間のハート」をめぐってラブバトルをする『シュガシュガルーン』という安野《あんの》モヨコさんのファンタジー作品があります。

この作品のショコラとバニラのバトルを「仕事」としてとらえてみると、ハートをより多く集めねばならないというシステムは、まさにお金を稼ぐために働くこととととらえることができます。

ドジで泣き虫な普通の少女、月野《つきの》うさぎが、愛と正義のセーラー服美少女戦士に変身し、セーラー戦士の仲間たちと協力しながら悪と戦う『美少女戦士セーラームーン』という武《たけ》内直子《うちなおこ》さんの作品があります。この作品を〝女だらけの職場の話〟としてとらえると、決して女性たちの手柄を横取りすることなく、セーラー戦士たちを助け続けるタキシード仮面からは、サポート上手な上司のあり方を学ぶことができるかもしれません。

物語の主題ではないところ、作者が意図していないところに、リアルな人生に生きる真実が隠れていることもあるのです。

もちろん、読み解くためのテーマは「仕事」に限りません。例えば、マンガの中に描かれる「食」に着目し、追いかけ続けている研究者もいます。**マンガはもちろんのこと、そもそも文学というものは、読者が持ったさまざまなテーマで読み解くことができるものなのです。**

みなさんにとって文学を読み解くといえば、国語のテストを連想するかもしれません。そこでは、「登場人物の心情を答えなさい」「作者の狙いとして正しいものを、A・B・C

人それぞれの「答え」への道がある

から選びなさい」といった、正しい読み方を求められる場面が多いと思います。もちろんそれは、正解を導き出す訓練として意味があるものです。

しかし、私は、必ずしも作者の意図通りに読まなければいけない、たったひとつの読み方しか許されないとは思いません。**むしろ、Aを正解として選びつつ、「BやCは本当に正解ではないのか？　こう読めば、正解になるのでは？」と考える視点や、自分なりの正解Dをつくりだすような読み方をしてもいいと思うのです。**

「自分だけ、こんな読み方をして、おかしくないだろうか」と心配する必要はありません。人と違う読み方ができるというのは、才能です。そして、作者の意図していないところまで読み解こうとする読者が増えれば増えるほど、作品の世界が豊かになり、ひいてはフィクションというもの自体が活気づくのではないかと、私は期待しています。

もし私が文学研究に出合わず、そのまま大学を卒業し、まわりのみんなと一緒に会社に就職して、順調に働いていたとしたら、仕事を通じて社会の中に居場所をつくることに、何の疑問も抱かなかったと思います。そして、少女マンガから「女性の働き方」を読み解こうなどという、変わったマンガの読み方をすることはなかったでしょう。

このままだとニートまっしぐら、社会にまともな居場所もないというドン底が、少女マンガのラブストーリーからラブ以外の物語を浮かび上がらせました。そして私は、まっすぐ出世を目指すのではなく、紆余《うよ》曲折《きょくせつ》を経る女性の働き方を、マンガの中から抽出しようとしました。さまざまな事情に左右され、その都度選択を強いられながらも、一人ひとり異なる道を描いていく姿を……。

思えば、今も私は「集団の真ん中にいられない」ままです。**でも、これまで主流派でいられなかった経験こそが、自分なりのマンガの読み方をつくったのかもしれません。**

マンガのフィクションの下に隠れたリアルな人生――「女性として働き、女性として生きること」を発見し、読み解いていきたい。これが私の学問探究です。

あなただけの「！」を見つけるために

誰もがいきなり、自分なりのテーマを持ってマンガを読めるわけではありません。トミヤマ先生もそうでした。「自分には居場所がない」「自分の行く先が見つからない」といった惑いの時期を経たからこそ、多種多様な道をたどる「女性の働き方」というテーマにたどり着いたのです。

王道を行かなくちゃ、普通にならなくちゃ、とばかり考えていては、気づくことのできない思いが、きっとあります。

王道から離れて、あえて邪道を行くとしたら、あなたにはどんなテーマが見えてくるでしょうか。

！ まわりにあわせて
無理をしていることはないだろうか？

！ 自分ならではの「邪道」を行くなら、
どんな道だろう？

もっと究めるための3冊

少女マンガのブサイク女子考

著／トミヤマユキコ　左右社

少女マンガのヒロインはたいてい美人?
いや、「ブサイクヒロイン」は
こんなに存在していた!
ルッキズム（外見至上主義）の切り口で
少女マンガについて考察されています。

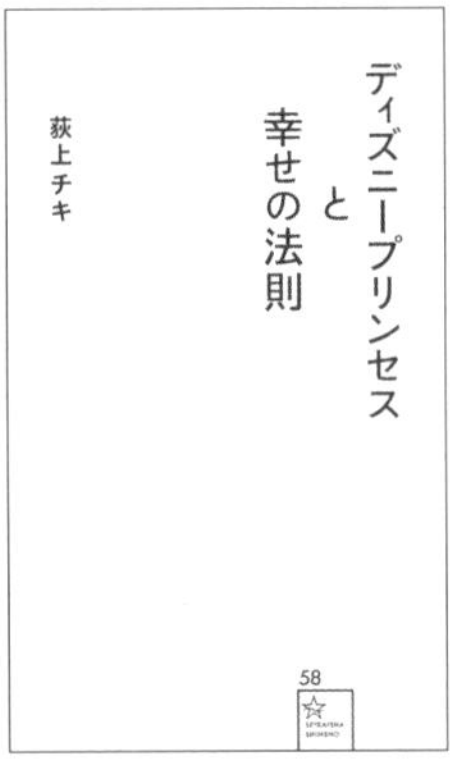

ディズニープリンセスと幸せの法則

著／荻上チキ　星海社

プリンセスたちの「夢」や「幸せ」が
どのように変化してきたか、
ディズニー映画の現在・過去・未来から
読み解いていきます。

私たちにはことばが必要だ

著／イ・ミンギョン　訳／すんみ・小山内園子　タバブックス

韓国社会で可視化され始めた、性差別の
問題。差別問題で苦しむ女性たちへ
苦痛を我慢するのではなく
立ち向かうための日常会話のヒントが
まとめられています。

3 「天才も解けない謎」を解くために

高橋龍三郎先生

1953年長野県生まれ。早稲田大学政治経済学部卒業。早稲田大学文学研究科博士後期課程満期退学。近畿大学文芸学部助教授などを経て、現在は早稲田大学文学学術院教授および先史考古学研究所所長を務める。専門は考古学。

1万年前の縄文時代をこの目で見る方法がある

縄文土器を知っていますか?

誰もが教科書で、一度は目にしたことがあるはずです。教科書や資料集では、たびたび縄文土器をつくる縄文人の姿が、挿絵で描かれることがあります。しかし、考えてみると不思議です。誰も縄文人を見たことがないのに、土器のかけらから、縄文時代のことが本当にわかるのでしょうか。

実は、縄文文化や当時つくられた土器については、専門家でもまだまだわからない謎が、たくさんあるといわれています。教科書の記述も、最新の研究にあわせて少しずつ変わっています。

タイムマシンに乗って、縄文人に会えたら、どのように土器がつくられていたのかわかるのに――。そんな夢のようなことに、挑戦している人がいます。

土器のかけらに魅せられたある少年は、誰も見たことのない「1万年前の世界」を知りたいと、考古学サークルに入りました。休みの日は遺跡の見学へ。ここまでは、一般的な〝考古学好き〟の少年です。

しかし、その少年——高橋龍三郎《たかはしりゅうざぶろう》先生は、研究を進める中でぶつかった土器の謎を解くために、「この目で、縄文土器がつくられている様子を見たい」と考えました。過去にワープできるわけではないのに、どうやって？——高橋《たかはし》先生は、いまだに日本の縄文時代のような土器づくりの習慣が残る、現存する部族社会のところに観察に行ったのです。

そこで高橋《たかはし》先生が見たのは、土器づくりの背景に広がっていた「呪い」のある社会、そして血で血を洗う戦いの歴史でした。土器の謎は、次第に古代の人びとの生活の中で、日常的に巻き起こる「戦いの謎」へと、不思議な広がりを見せていきます。

これは、1万年以上前の土器の世界に魅せられた少年が、発掘した土器をきっかけに、現存する部族社会から縄文社会の謎を解き明かそうとし、さらに「人間が戦うわけ」という根源的な問いへと広げていくまでのお話です。

宇宙から地中まで……未知なる世界への憧れ

ガガーリンに憧れた少年、考古学の世界へ

初めて縄文土器のかけらに触れたときのことを、いまだに鮮明に覚えています。

私が育った長野県は、縄文時代に最も栄えた土地のひとつです。ちょっと畑を掘れば、土器のかけらが見つかることもめずらしくはありませんでした。

私が小学生のとき、同級生が土器のかけらを発見したことがありました。それを聞いた私は土器の現物を見せてもらったのです。

土器につけられた縄目模様や、独特な色……。直接触れたことで、私は不思議な感覚と感動を覚えました。**何千年前、いや、ひょっとしたら1万年以上も前の「古代」の世界の一部に、今私は触れている、と……。**

まだ見ぬ世界に魅了されて

幼い頃の私が夢中になったのは、古代だけではありませんでした。私が一番憧れたのは、最先端の科学や宇宙の世界です。

私が8歳のとき、当時のソビエト連邦の宇宙飛行士・ガガーリンが、人類史上初の有人宇宙飛行に成功します。当時は、アメリカとソビエト連邦が競って、宇宙開発を進めていた時期でもありました。

地球から遠く離れた場所には、どんな空間が広がっているのだろう。宇宙の起源とは、一体……。**まだ見ぬ世界を目指して、人間が科学の力で迫る様子に、私は心を躍《おど》らせていました。**

しかし、次第に私は、遺跡や過去の人類が遺《のこ》したものから、過去の生活を探究する「考古学」の世界への憧れを募らせるようになりました。歴史好きの友人や、よく「遺跡を見に行こう」と私を連れ出した、考古学愛好者の父の影響もあったのかもしれません。

地面の下を掘り進めていくと、見たこともないような古代の建造物の跡や、土偶が現れる。それは、はるか昔の生活の様子や人類の起源を知る手がかりかもしれない……。誰も知らない過去の世界を掘り起こし、迫っていくことのおもしろさに気づいたのです。

宇宙だけではなく「地中」にも、未知なる世界は広がっている!――土に埋もれている古代の世界に、私は魅了されていきました。

優秀なサラリーマンの夢を捨てて

高校に進学すると、歴史や民俗、石器や土器などについて学ぶ「地歴会《ちれきかい》」というサークルに入会します。ときどき顧問の先生に誘われては、発掘にも参加しました。

しかし、当時の私にとって考古学はあくまでも、趣味のひとつに過ぎません。高校の進路選択の時点で、考古学を専門に学ぼうとは……ましてや研究の道に進もうなどとは、少しも考えてはいませんでした。未知なる世界を切り開く分野に進める人を、うらやましく

安定した将来に抱いた違和感

思うことはあっても、自らそこに飛びこもうとは思えなかったのです。

将来は安定した会社に就職して、優秀なサラリーマンになろう。そのために、大学ではまともな仕事に直結するような、手堅い知識を得るのだ。考古学は、考古学サークルで趣味程度に楽しもう。大学を卒業する頃には、決別しなければ――。そんな決意を胸に、大学では政治経済学部に進みました。

ところが、国際経済学の講義を受ける中で、ふと、小さな違和感が生まれました。

経済学には、お金というひとつの価値基準で人びとの生活や行動を説明しようとする考え方がたくさん出てきます。**しかし、土器を通じて、お金が生まれるはるか昔、何千、何**

万年前の世界に思いをはせていた私には「お金で測れることは人間の生活の一部で、すべてではない」と思えてなりませんでした。これが本当に、私が探究したいことなのだろうかと、疑問を持ち始めたのです。

折しも私が大学を卒業する頃は、不景気で、就職氷河期と呼ばれる時代を迎えていました。優秀な学生でさえ、なかなか就職先が決まらずに苦労している様子を見ながら、次第に私の心は変わっていきました。今就職活動をしたとしても、安定した会社に就職できるとは限らない。それなら、自分の好きな世界について、一度思い切り学んでみたい……！

たまたま通っていた大学の大学院に、考古学専攻が新設されるタイミングと私の卒業が重なり、私は大学院へ進みます。考古学の世界――その中でも、小学生のときから関心を持っていた縄文土器の研究へと、本格的に足を踏み入れることになりました。

なぜ同じ模様の土器ばかり出てくる？

縄文土器の研究の世界には、長年解明されていない大きな謎がありました。

土器のデザインがシェアできた！……わけはない

ひとことで縄文土器といっても、その形にはさまざまな種類があります。土器自体の形だけでなく、使われている粘土なども、地域や年代によってそれぞれ違います。

その特徴ごとの土器の分類を「型式《けいしき》」と呼びます。「亀《かめ》ヶ《が》岡《おか》式《しき》土《ど》器《き》」など、「〜式」と呼ばれる土器の種類を、聞いたことがあるかもしれません。1万年以上続いた縄文時代で、約1000もの、型式《けいしき》の違う土器がつくられていたといわれています。

なかでも特徴的なのは、土器の表面に施された装飾——「文様《もんよう》」の違いです。縄や竹を粘土に押しつけたものや、溝がたくさん刻まれたもの、細く伸ばした粘土を縄のようにつけたものなど、数えきれない種類があります。

ところが、よく観察していくと、不思議な

ことが見つかります。

関東地方ほどの広さの範囲から出る、近い年代の縄文土器の文様《もんよう》が、共通の模様を持っている特徴があるのです。縄文時代は、当然テレビやインターネットもありません。住む場所を超えて情報をシェアするのは、とても難しかったはずです。それなのに、各遺跡でつくられていた土器が、広範な地域の中で、模様の共通性を持っている。――おかしくはありませんか？

もうひとつ不思議なことがあります。縄文土器の型式《けいしき》は、時期によって変化していく傾向が見られることです。

土器が出てきた地層の特性を調べることによって、その土器がだいたいどの時期につくられたのか、すでに発見された土器とくらべてどちらが古いかを知ることができます。この方法をはじめ、さまざまな方法を組み合わせて土器の年表をつくってみると、時期ごとに土器の型式《けいしき》が移り変わっていくことがわかったのです。

毎年、洋服の流行が変わるように、土器の文様《もんよう》にも流行のようなものがあり、時期ごとに自然と変わっていったと考える説もあります。でも、離れた場所でつくられていたはずの土器の文様《もんよう》が、流行によっていっせいに変わるということが、果たしてあるのでしょうか？

想像してみてください。同じ地域に住む人に「粘土でお皿をつくってください」とお願いしたとします。そのときに、みんながみんな、同じ模様のお皿をつくる、なんてことがあるでしょうか。たとえ見本があったとしても、それをまねする人もいれば、「私なりに模様をアレンジしよう」と工夫する人がばらばらに出てきても、おかしくないはずです。

また、自然ななりゆきで、いっせいにみんなが次の模様に移行するというのも、不自然ではないでしょうか。

それなのになぜ、縄文土器には、広範な地域の中で、似通った土器がつくられるようなことが起きたのか？　そして、どんなきっかけで土器は変わっていったのか……？　私の中に、このふたつの「縄文土器の謎」を解き明かしたい気持ちが芽生えていきました。

「考古学が好きな少年が、縄文土器の謎に挑む」――。ここまでの話を聞いて、人生の駒の進め方としては、わかりやすいものだと思うかもしれません。

しかし、この縄文土器の謎は、それまでの伝統的な考古学の手法だけでは解明できないものでした。私はこのあと新たな手法を取り入れながら、ふたつの謎を解き明かそうと模索します。そのことが、土器の向こうに隠された「人間の生活」をめぐる謎へと、さらに私を誘《いざな》うことになるのです。

現存する部族社会で、見つけた新たな謎

きっとここに土器がある！　天性の勘を持つ研究者たち

地域ごとに、似通った土器が出てくるのは、なぜか。土器はどのようにつくられ、その型式《けいしき》はどのように受け継がれて、あちこちの地域へと散らばっていくのか――。この謎に対しては、これまでさまざまな学説が唱えられてきました。

例えば、「共通の文化や言語、価値観を持って、共同生活を送る部族の中で、ひとつの土器のつくり方が共有されていたのではないか」と考える説。または、「土器をつくる女性の結婚を通じて、土器のつくり方が嫁ぎ先へと受け継がれていたのではないか」と考える説などがあります。

でも、どちらも「きっとそうだろう」という推測の域を出るものではありませんでした。

縄文時代の人びとが、どのように土器をつくっていたのか、実際に見ることはできません。検証の方法がわからないということが、考古学の世界に立ちはだかる、高い壁でした。

私は謎の解き方がわからないまま、いろいろな遺跡で発掘に参加しました。土器がどこに埋まっているのか、地中にどんな光景が広がっているのかは、掘ってみなければわかりません。何時間も掘り続けて、成果が出ないということもあります。

ところが、ときどき「天性の勘」を備えているとしか考えられない研究者がいました。みんなが1か所を懸命に掘っている中、「いや、あっちから何かが出るような気がする」と言って移動し、そこで旧石器時代の遺跡を掘り当ててしまう研究者。たまたま出てきた、何に使うものかもわからない土器を見ただけで、「きっと産地はこのあたりではないか」と思い当たり、その場所から同じ土器を掘り当てた研究者……。

表現するのなら「天才」としか呼びようのない研究者と出会ったとき、私は思わず脱力しました。見たこともない古代の世界を、「天性の勘」で解明していく人がいる。私には、その勘がない……。

天才考古学者のあとを、追うことはできない。**「天才ではない私」なりに、縄文土器の謎を解くにはどうしたらいいのだろうか？**――そう考えて、私は気づきました。縄文時代について推測するのが難しいのであれば、縄文時代と同じような生活を知る人に聞いてみればいいのだ！——と。

会いに行く考古学。パプアニューギニアに手がかりがある

タイムマシンで縄文人に会いに行くことはできません。でも、現実に今ある社会や民族の中に残る、縄文時代と似た文化から、過去をひも解くヒントを得ることができるはずだと、私は考えました。1990年代に入る頃、欧米を中心に、他の民族から古代の文化のヒントを探るという新しい研究のアプローチが生まれていました。私はその動きに関心を持って、動向に注目していたのです。

「現実に今ある社会から、過去をひも解く」とはどういうことか。例えば、草木に火を放ち、焼け跡で作物を育てる「焼《や》き畑《はた》」という日本古来の方法があります。縄文時代に営まれていた、最も古いとされる作物の育て方ですが、今も、一部の地域には焼《や》き畑《はた》の習慣が残っています。その地域で焼《や》き畑《はた》がどのように行われているかを観察することで、古代で

「昔」は今も生きている

パプアニューギニア
もしかしたら縄文時代もこうだったのかも！

実際どのように作業が行われていたのか、ヒントを見いだせるのです。

同様に、今もなお、縄文土器のような素焼き土器をつくる民族を観察すれば、どのように土器がつくられ、その型式《けいしき》が受け継がれていくのか、知る手がかりを得られるはずです。土器づくりにかかわる社会的な要因を発見すれば、日本の縄文時代のリアルな生活、土器づくりの様子が見えてくるかもしれません。

そこで、私は縄文時代と同じくらいの発展段階にある地域を残す、パプアニューギニアへと向かいました。パプアニューギニアの一部では、今も縄文土器のような素焼き土器がつくられているのです。そこで実際にどんな土器づくりが行われているのか、現地に滞在し、観察することにしました。

私は、パプアニューギニアのイーストケープという地域に住むケヘラランという部族の調査へと向かいました。この部族では、代々、土器をつくるのは女性の仕事です。私は土器をつくる女性たちから聞き取り調査を行いました。上は80歳、下は14歳くらいまでの幅広い年齢で、70人ほどの土器製作者たちがいましたが、みんな似たような土器をつくることができます。一体女性たちは、土器のつくり方や文様《もんよう》のつけ方を誰から学んだのか――。

その調査から、ひとつの実態が見えてきました。

土器をつくる女性たちは、さまざまな交流の中で、土器の形や文様《もんよう》について学んでいました。お母さんから娘、さらに孫娘へと継承されていくこと。夫に連れられて女性が移動し、移動先で教わること。誰かが亡くなったときの弔いの儀式のために、みんなで集まって土器をつくるときに、他の人の技術を学ぶこと……。

ひとつの型を受け継いでいくのではなく、いろいろな場面で、いろいろな人から異なる系統のものを取りこんで、土器はつくられていきました。その結果、婚姻を通じて人が移動する範囲や、みんなで儀式を行う範囲内で、似たような文様《もんよう》や形が広がっていたのです。

この光景は、これまでの学説とも部分的に合致していました。これで、一定の地域から、共通した文様《もんよう》や形の縄文土器が出てくる謎の、ひとつの答えが見つかった！

――しかし、もうひとつの疑問が残ります。お互いに違う系統の文様《もんよう》を取りこみ合っているだけだとしたら、土器の文様《もんよう》は一定のパターンの組み合わせのまま変わらないはずです。しかし、縄文土器は、同じ地域から出土したものでも、土器の文様《もんよう》が時代によってどんどん変わっています。

土器はなぜ、どのようにして変わったのでしょうか？ 自然ななりゆきではなく、誰かが故意に、土器の形や文様《もんよう》を変えて、その地域の土器づくりに影響を与えているとは考えられないでしょうか。もし、そうだとしたら、一体誰が？　謎がさらに謎を呼んでいきます。

土器を変えていたのは「魔女」である⁉

私に転機が訪れたのは、聞き取り調査の中で「土器を変えているのは、自分だ」と話す女性と出会ったことでした。

その地域にいる女性たちはみんな、卓越した土器づくりの技術を持っていました。誰かの命令に従わなくても、十分、自分たちの生活に使うための土器をつくることができるはずです。それでも、ひとりの女性が、その地域の土器づくりを先導しているというのです。

彼女は、お葬式や儀礼、先祖の霊を弔うお祭りなど、その地域の宗教的な儀式を先導する人物でした。**ひょっとしたら、彼女が目に見えない霊的世界に通じている人物であることと、土器づくりには、何か関係があるのではないか……。**私は、その地域の信仰と生活のかかわり方についても調べ始めました。

そして、唖然《あぜん》としました。霊やまじないなどの目に見えない世界が、日常生活を牽引《けんいん》するほどの力を持っていること、さらに、その力が土器づくりにも色濃く反映されていることがわかってきたからです。

科学的知識も、高度な医療技術もない社会では、「身内に災いや不幸が起きるのは、誰かが『呪っている』からだ」と真剣に考えられていました。例えば身内が亡くなったとき、「一体誰が呪ったんだ」と犯人捜しが始まります。私たちから見れば「寿命をまっとうしたのではないか」と思えるような亡くなり方であっても、です。

呪われたと感じたら、仕返しをすることもあります。相手の髪《かみ》の毛や、たばこの吸い殻を使って「作物が不作に終わるように」などと、呪力の強い人に呪ってもらうのです。

私の調査した土地で「土器を変えているのは、自分だ」と話す女性は、その土地で最も呪力が強いと信じられている女性――いわば「魔女」のような存在だったのです。現地では魔女のことを「バロマ」と呼びます。土器自体も、呪いの儀式や儀礼に使われることが多いので、呪術に最も長《た》けた人が、土器の文様《もんよう》や形にも影響力を持つことは、ある意味自然なことだといえます。

目に見えない世界が多くのことを決める状況は、実は、さまざまな問題を引き起こす原因にもなっていました。ときには、ある地域の部族が壊滅に追いこまれるような、深刻な争いにつながることもあるといいます。

次第に私の中には、土器の謎とは少し違う、新たな問いが芽生えてきました。

——一体なぜ、彼らは戦うのか？

科学が発展した国で暮らしていると、目に見えない霊的世界をきっかけに、大規模な争いが起きるなんてありえないと思うでしょう。争いの原因は、領地や覇権争いなどの政治経済的な利害ではないか、と。目に見えないものが支配する社会、そのささいで日常的な生活の中に、戦いの要因が生まれるのだとしたら、一体どうして彼らは命をかけて戦うのでしょうか……。

古代の人はなぜ戦ったのだろう。そして、人間は一体なぜ、戦うのだろうか？

こうして私の、ふたつの「土器の謎」をめぐる冒険は、「人間はなぜ戦うのか」という別の謎へとつながっていったのです。

土器から浮かび上がる呪いの正体

日常の中の「呪い」と巻き起こる戦争

あなたも誰かに呪われている？——恐れの先の悲劇

みなさんは、縄文時代や縄文人に対して、温厚で平和なイメージを抱いているかもしれませんん。しかし、実は縄文時代には、小規模ですがたびたび血で血を洗う戦いが起きています。小さなもめごとが、集団間の戦争にまで発展しかねません。裁判所や国際連合のような調停機構が社会に備わっていないことも、争いが深刻化しがちな原因になっています。

人と人とのもめごとは、衣食住がおびやかされること以上に、目に見えないものによるいさかいによって引き起こされています。例えば「私たちが崇《あが》める大切な存在を、彼らは侮辱した」といった、我々から見ると、ただのいいがかりや推測に過ぎないことが、戦争の引き金になるのです。

牧歌的イメージの裏には……

そして、目に見えない世界が多くのことを決める縄文の社会では、「呪い」や「魔術」というものが生活の中に浸透しています。他の人よりいいものを持っている、あの人は魅力があって多くの人にモテるというだけでも、呪いの対象になることがあります。先ほど登場した「魔女」のように、呪力の強い人に頼んで、妬《ねた》ましい相手を呪ってもらうのです。**いわば呪い自体が、武器を伴わない、ひとつの争いともいえるでしょう。**

「呪い」が日常的に行われる社会の中では、自分や身内に不幸が訪れるたびに「誰かに呪われているのではないか」と恐れを抱くことになります。子どもが病気になったときは、地元の祈禱師《きとうし》や魔女のところに行って、呪いを祓《はら》ってもらわなければなりません。呪力を持つ人や、見えない世界に通じている人は、自然と地域で大きな力を持つことになります。「敵が私たちを呪ったせいで、この地域に災いや不幸が起きたのではないか」と疑った場合、地域の住民たちが弓矢ややりといった武力を用いて復讐《ふくしゅう》をすることもあるといいます。これが、部族間の大きな戦争へとつながっていくのです。

集団による、復讐《ふくしゅう》のための争いは、人間以外の動物には見られないことです。食料や土地の奪い合いのためだけに、人は戦うわけではない。**とすると、戦いとは、人間の本能ではなく、社会の形や宗教意識と密接に関係しているのではないか、とも思えてきます。**

霊やまじないの力を信じ、恐れていたのは、古代人だけではありません。思えば18世紀に入るまで、イギリスでは魔女裁判が行われていました。魔女である、と疑われた人物は、それだけで裁判にかけられたり、重い刑罰を受けたり、迫害されたりしました。18世紀といえば、イギリスでは産業革命が起こり、革新的な技術が生まれて、社会を変えていった頃です。社会が発展してもなお、人びとが呪いの力を恐れていたということがわかります。

また、日本でも明治時代に入るまで、あるいは現代においても呪文によって超自然的な結果を引き起こそうとする、呪術の習慣が残っているといわれています。

まじないや霊、呪いを信じる人たちに対して、私たちの感覚で「科学的に見ておかしいですよ」「他の宗教も認めなさい」と言っても、受け入れられないでしょう。よく「みんな同じ人間」と言いますが、縄文時代のような社会に住む人たちの生活や、生活に根づく考え方、行動の理由は、私たちと「違う」ということを、まずは理解しなければいけません。

私たちは、領地や覇権争いなど、政治経済的な利害が原因で、戦争が引き起こされるものと考えがちです。しかし、現代社会の常識にとらわれずに、宗教意識や社会生活と戦争との関係を探っていくと、敵味方をわけるのは、必ずしも利害だけではないと見えてきます。**現代から古代へ、自分の住む地域から世界へと視野を広げて、争いを引き起こす原因を考えることは、他者への理解につながるはずです。**考古学は、人間とは何かを問いかけることによって未来の平和をつくるための学問でもあると、私は考えています。

本当に縄文土器で煮炊きをしていたのか、と疑う目

私はパプアニューギニアに行ったことで、土器の文様《もんよう》の背景に広がる、リアルな社会生活の像にまで目を向けるようになりました。

思えば私が進んできたのは、伝統的な考古学だけではなく、民族学や人類学と考古学を

融合したようなアプローチともいえるでしょう。

例えば発掘したものを現代人の感覚で見れば、「弔いや儀式用の土器や道具が多く出てくる」ということは、「この土地では不合理で野蛮なことばかりやっていたのだろう」と表面的な結論に結びつけてしまいがちです。しかし、当時の人びとの生活を探っていくことで、「むしろ、弔いや儀式といった習慣こそが、当時の政治や経済を牽引《けんいん》していた」と、社会の深層の構造がわかる。遺跡や土器は、あくまでも出発点です。発掘したものだけではなく、その背後に広がる景色を探ることで、まだ見ぬ古代の世界が見えてきます。

古代の人間の姿を見つめるためには、現代人の常識や、教科書に書いてある答えにとらわれていてはいけません。私自身も「そろいもそろって、同じ文様《もんよう》の土器が出てくるのはおかしい」「文様《もんよう》が自然に変わるなんて、ありえない。誰か変えている人がいるはずだ」といった素朴な疑問が、研究を進める大きな手がかりになりました。

例えば博物館で、土器を見たとき。「煮炊き用の縄文土器」と説明があったとしても「本当にこんな土器で煮炊きをしていたのか？　この形では、全然火が通らないのではないか？この取っ手は、煮炊きには邪魔じゃなかったのだろうか？」と疑っていいのです。

何かおかしい、論理的に考えて不自然だ、と思うところには、きっと、まだ見ぬ事実が眠っているはずです。

土器の発掘はスタートラインに過ぎない

地面の下には、どんな過去の世界が眠っているのだろう。誰も見たことがない「古代」という世界を、私の手で切り開きたい——。

学生時代に踏み出した「未知なる古代」への一歩は、意外な世界へと通じていました。縄文土器の謎を解くために、パプアニューギニアを訪れた私。その眼前には、日常の生活の背後に隠れるように、呪いのある生活、そして「恐れ」を引き金にした集団間の争いが広がっていたのです。

頭の中で考えるだけではなく、自分の目で見て、本当にそうかを確かめたい。その思いが、新たな問いの世界へと私を誘《いざな》いました。古代の人びとがなぜ戦ったのか——。その謎を通じて、人間の生活の根源的な部分を掘り当てたい。これが私の学問探究です。

あなただけの「！」を見つけるために

従来の考古学の手法にとらわれず、現存する部族社会の観察から、土器の謎をひも解こうとした高橋《たかはし》先生。きっかけは、天才研究者のあとに続くのではなく、「どうしたら自分なりに、謎を解けるだろう?」と考えたことでした。

そして、独自の手法が、土器の謎を超えた、古代の生活や戦いをめぐる問いへとつながっていったのです。

自分のことを「天才ではない」と思える人だからこそ、進める道がきっとあります。大きな謎に立ち向かうとき、あなたにしか取れない方法とは、一体何でしょうか。

！ **身のまわりに、よく考えると不思議なことや、謎はないだろうか?**

！ **もし、他の人とは違う、普通ではない方法で、その謎に迫るとしたら?**

もっと究めるための3冊

縄紋時代の社会考古学

編／安斎正人・高橋龍三郎　同成社

縄文時代の集落構成や、環状列石《かんじょうれっせき》の変遷、
また、当時の権力を示す財物、
ヒスイやタカラガイの流通など、
多様な観点から、縄文時代の社会構造が
どのように変わったかを探ります。

縄文土器・土偶

著／井口直司　KADOKAWA

日本各地でつくられた、縄文土器・土偶。
主要な作品を、カラー写真で紹介。
その不思議な造形から、縄文人の生活や
交流・精神世界にまで思いをはせられる、
縄文土器・土偶の入門書です。

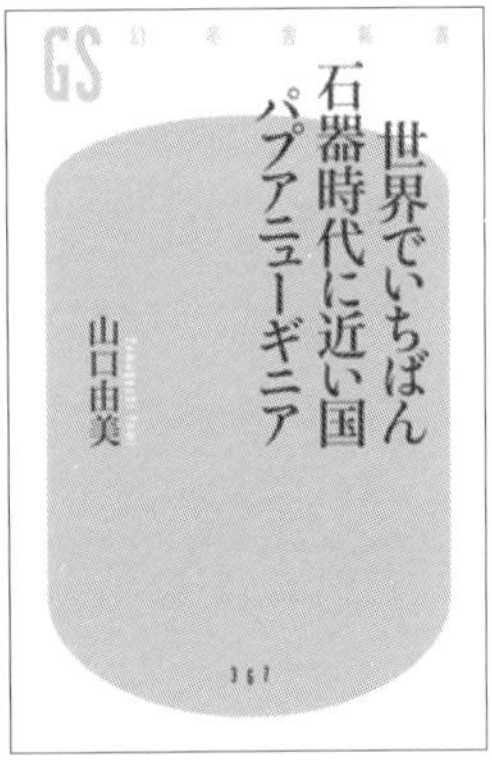

世界でいちばん石器時代に近い国 パプアニューギニア

著／山口由美　幻冬舎

日本から飛行機で約6時間半の場所で、
いまだに呪術や、信じられない文化が
息づいている、パプアニューギニア。
生活の常識が根底から覆される一冊です。

協　　力　渡邉恵太、トミヤマユキコ、高橋龍三郎

デザイン　寄藤文平+古屋郁美（文平銀座）
イラスト　はしゃ
編集協力　塚田智恵美
企画協力　佐渡島庸平、中村元（株式会社コルク）
制作協力　山口文洋、前田正広、池田脩太郎、依田和人、
　　　　　赤土豪一、佐藤南美（スタディサプリ進路）

<スタディサプリ進路とは>
「学びたい」「学んでよかった」がもっと増えていく世界を目指して、
高校生のみなさんが進路を選ぶために必要な情報を、
テキストやWEBサービスを通じて提供しています。働くこと、学ぶこと、そして学校について、
さまざまな観点で紹介することで、自分らしい進路選択を応援します。

この本は、スタディサプリ進路が2019年に制作した冊子『スタディサプリ進路　学問探究BOOK』を、
再編集し書籍化したものです。この本で紹介した内容、個人の経歴などは、本書刊行時のものです。

スタディサプリ　三賢人の学問探究ノート（5）
生活《せいかつ》を究《きわ》める

2021年3月　第1刷

編　　　　スタディサプリ 進路
発 行 者　千葉 均
編　　集　岡本 大
発 行 所　株式会社ポプラ社
　　　　　〒102-8519　東京都千代田区麹町4-2-6
　　　　　住友不動産麹町ファーストビル　8・9F
　　　　　ホームページ　www.poplar.co.jp
印刷・製本　中央精版印刷株式会社

©Recruit2021　ISBN978-4-591-16956-8　N.D.C.914　95p　21cm　Printed in Japan

落丁・乱丁本はお取り替えいたします。
電話（0120-666-553）または、ホームページ（www.poplar.co.jp）のお問い合わせ一覧よりご連絡ください。
※電話の受付時間は、月～金曜日10時～17時です（祝日・休日は除く）。
本書のコピー、スキャン、デジタル化等の無断複製は著作権法上での例外を除き禁じられています。
本書を代行業者等の第三者に依頼してスキャンやデジタル化することは、
たとえ個人や家庭内での利用であっても著作権法上認められておりません。

P4900278